¿Cuál es...?
¿Tú qué crees.

Coordinación de la colección: Mariana Mendía
Coordinación del proyecto editorial: Miriam Martínez Garza
Coordinación de diseño: Javier Morales Soto
Formación: Sara Miranda Icaza
Versión en español y sección didáctica: Miriam Martínez Garza
Revisión técnica: Alicia Kobayashi Komatsu
Asesoría pedagógica: María Angélica Cuéllar Cabrera
Asistencia editorial y corrección de estilo: Ricardo Maldonado Gutiérrez

¿Cuál es...? ¿Tú qué crees?

Título original en japonés: どっちかな？ *(Docchikana?)*

D.R. © 2010, Mineko M.
Publicado en Japón en 2010 por Child Honsha Co., Ltd., Tokyo
Publicado por acuerdo con Child Honsha Co., Ltd. a través
de Japan Foreign-Rights Centre / Ute Körner Literary Agent, S.L.U.
www.uklitag.com

Primera edición: febrero de 2018
D.R. © 2018, Ediciones Castillo, S.A. de C.V.
Castillo ® es una marca registrada.

Insurgentes Sur 1886, Florida.
Álvaro Obregón.
C.P. 01030. Ciudad de México, México.

Ediciones Castillo forma parte del Grupo Macmillan.

www.edicionescastillo.com
Lada sin costo: 01 800 536 1777

Miembro de la Cámara Nacional
de la Industria Editorial Mexicana.
Registro núm. 3304

ISBN: 978-607-540-002-0

Impreso en México / *Printed in Mexico*

Impreso en los talleres de
Impresos Santiago, S.A. de C.V.
Trigo No. 80-B, Col. Granjas Esmeralda.
Del. Iztapalapa. C.P. 09810, Ciudad de México, México.
Febrero de 2018.

¿Cuál es...?
¿Tú qué crees?

Mineko M.

Versión: Miriam Martínez Garza

castillo
A Macmillan Education
Company

DIENTE
DE LEÓN

¿Cuál es redondo?

¿Que cuál es redondo?
¿Qué pasó?

¿Cuál es más grande?

¿Que cuál es más grande?
¿Por qué pasó?

¿Cuál es más larga?

¿Que cuál es más larga?
¿Cómo pasó?

¿Cuál es más rápido?

¿Que cuál es más rápido?
¿Por qué pasó?

¿Cuál llega más alto?

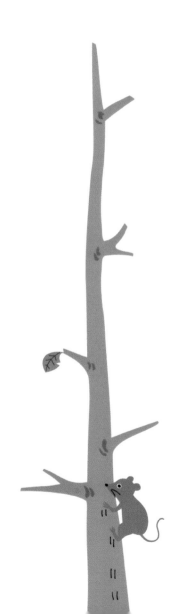

¿Que cuál llega más alto?
¿Cómo pasó?

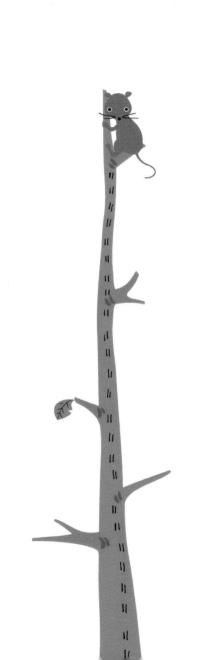

¿Cuál es rojo?

¿Que cuál es rojo?
¿Tú qué crees?

Vamos a jugar

Para (re)leer y generar aprendizajes en la familia o en el aula

RELACIÓN CON LOS CAMPOS DE FORMACIÓN ACADÉMICA

PENSAMIENTO MATEMÁTICO

EJE: Forma, espacio y medida
TEMAS: Figuras y cuerpos geométricos / Magnitudes y medidas

APRENDIZAJES SUGERIDOS PARA EL LECTOR

- Resuelve problemas a través de la observación y las hipótesis.
- Establece relaciones de igualdad y desigualdad, compara y clasifica colecciones.
- Identifica la longitud de varios objetos a través de la comparación.
- Identifica eventos y dice el orden en que ocurren.
- Usa expresiones temporales y representaciones gráficas para explicar una sucesión de eventos.
- Razona para descubrir la verdad mediante la confrontación de contrarios.

EXPLORACIÓN Y COMPRENSIÓN DEL MUNDO NATURAL Y SOCIAL

EJE: Mundo natural
TEMA: Exploración de la naturaleza

APRENDIZAJES SUGERIDOS PARA EL LECTOR

- Observa cambios en la naturaleza a partir del espacio, dimensión, peso, movimiento y sucesos temporales.
- Observa distintos ángulos de un fenómeno y da su opinión.
- Describe y registra información para responder preguntas y ampliar su conocimiento en relación con los animales y otros elementos naturales.

RELACIÓN CON LAS ÁREAS DE DESARROLLO PERSONAL Y SOCIAL

EDUCACIÓN SOCIOEMOCIONAL

DIMENSIÓN: Autonomía
HABILIDAD: Cognitiva, capacidades sensoperceptuales

APRENDIZAJES SUGERIDOS PARA EL LECTOR

- Enfoca su atención para razonar y deducir.
- Distingue cambios más allá de las apariencias.

- Experimenta placer en el asombro y desarrolla el deseo de descubrir.
- Amplía parámetros cognitivos de observación y razonamiento.
- Fortalece facultades perceptivas y receptivas.
- Reconoce y reflexiona sobre los procesos de transformación como parte de la vida.

ACTIVIDADES PARA EXPLORAR, EXPRESARTE Y COMPRENDER
(situaciones de aprendizaje sugeridas)

CONVERSA

- Y tú, ¿qué forma adoptas cuando...?
  a) Duermes   **b)** Tienes miedo   **c)** Quieres ver todo al revés   **d)** Te asustas

¡LEE LAS IMÁGENES DEL LIBRO!

- Mira todas las ilustraciones y ve dónde están situados los diferentes animales.
  ¿En qué ocasiones el fondo no es totalmente blanco? Y cuando no, ¿qué ves? ¿Por qué será?

¡CREA!

- No todo es lo que parece... Dibuja tres animales largos que conozcas.
  ¿Pueden cambiar de forma o color? Dibuja esos cambios.

INVESTIGA Y EXPLICA

- ¿De qué les sirve a los pavorreales y armadillos cambiar de forma?
- ¿Cuáles de estos animales pueden cambiar de forma?
  a) Cobra   **b)** Pez beta   **c)** Cochinilla   **d)** Caracol   **e)** Mariposa

IMAGINA Y RAZONA EN GRUPO

- Fíjate en el libro completo (incluyendo las ilustraciones de portada y contraportada).
  ¿Qué le preguntaría un animal al otro después de lo sucedido?
- ¿Puedes señalar qué corresponde con qué? Regresa a las imágenes del libro y relaciona las columnas.

a) Forma y velocidad	**1)** gato y ratón; perro y caracol
b) Tamaño y peso	**2)** caracol y perro
c) Color interior	**3)** gato y ratón
d) Color exterior	**4)** manzana
e) Lugar	**5)** sandía